Jean-Lou et Sophie en Bretagne

GÉRARD GRÉE

MARCEL MARLIER

ISBN 2-203-10307-8
© Casterman 1977.

H

C'est dans la brume que Jean-Lou et Sophie découvrent Fougères, une des portes de la Bretagne.

Le château, entouré d'eau et construit au pied des collines, les enchante. Les puissantes murailles qui portent le chemin de ronde sont flanquées de treize tours, toutes différentes.

— Montons dans la plus haute, dit Sophie.

— La tour de la fée Mélusine, répond Jean-Lou.

— On se croirait au Moyen Âge, dit Sophie en déambulant dans les rues étroites des vieux quartiers de Vitré.

— Ces maisons à encorbellements, c'est bien pratique pour s'abriter quand il pleut!

5

Connaissez-vous
le Mont-Saint-Michel ?
Un îlot rocheux,
solitaire au
milieu des sables.
Au sommet, les
moines ont construit
une abbaye.
Sur les pentes
s'étagent les toits
du village.

Jean-Lou et Sophie visitent la « Merveille » : c'est le nom qu'on
donne à l'abbaye gothique.
L'étrange lumière du cloître les attire. Elle vient du reflet des cent
trente-sept colonnettes de granit rose qui entourent le jardin.

Les enfants se promènent à Dinan. Ils sont séduits par les porches et les pignons de la ville ancienne.

Mais quel est donc ce vacarme?

Ce vacarme ?...
Voilà le coupable :
c'est le petit chien.
— Ici, ici, reviens !...
Désobéissant !
crie Jean-Lou.
— Ne le gronde pas
trop, implore Sophie.
Essaie de le com-
prendre. Tu sais, les
vieilles demeures, les
vieilles villes, c'est
joli ! Mais pour un chien,
même s'il est bien élevé,
cela peut devenir lassant.
Et si un chat se présente dans le décor... comment résister au
plaisir de se dégourdir les pattes ?
» Moi aussi j'aimerais m'amuser un peu, avoue Sophie... Allons à
la plage !
— Pourquoi pas à la plage de Ploumanac'h ? répond Jean-Lou.
On m'a dit qu'il y a là de drôles de rochers.

8

— En effet, ils sont étranges, dit Sophie en arrivant à Plou-manac'h, et leur couleur rose est surprenante.

— Regarde, voici sans doute le rocher qu'on appelle « le Bélier ». Et voici « le Fauteuil » et « le Parapluie ».

— Celui-ci ressemble à un tas de crêpes... Je reconnais aussi « la Tortue ».

— Devine un peu sur quoi tu es assise...

— Je ne sais pas, je donne ma langue au chat.

— Sur « la Tête de mort » !

— Brr..., dit Sophie en se levant précipitamment. Tu aurais pu me le dire plus tôt...

Mais où donc est passé le chien ?

— Il est là, tout contre le rocher. Le pauvre, il est terrorisé. N'aie pas peur, l'eau ça mouille mais ça ne fait pas mal !

Ce petit garçon qui joue maladroitement du bignou, c'est Jean-Lou... Cette petite fille rougissante sous sa coiffe de dentelle, c'est Sophie.

Les aviez-vous reconnus?

Mais où sont-ils? Au carnaval? À la foire?

Pas du tout, c'est très sérieux. Ils vont participer au grand pardon du Folgoët.

C'est un grand événement que le pardon, les pèlerins viennent de partout, par les chemins et par les routes.

Ils ont revêtu leurs beaux costumes de fêtes. Les coiffes les plus amusantes, en forme de mitre, sont celles des Bigoudens.

Devant un des plus beaux clochers de Bretagne se déroule maintenant la procession.

En tête, les bannières. Toutes de velours, de soie brochée, avec des franges et des glands d'or.

Voici les joueurs de binious, de bombardes, et tous les musiciens.

Viennent ensuite les statues de la Vierge, de sainte Anne et des autres saints et saintes vénérés dans la région. Enfin, les lourdes châsses, les reliquaires.

Poli par le temps, rouillé par les lichens, le petit peuple de pierre des calvaires bretons impressionne Sophie.

— Écoute, dit-elle, je les entends chuchoter.

— Mais non, c'est impossible, c'est le vent et ton imagination, répond Jean-Lou... Tu vois, c'est comme une bande dessinée qui nous raconte la vie de Jésus.

— Ce doit être amusant pour les petits Bretons d'apprendre le catéchisme!

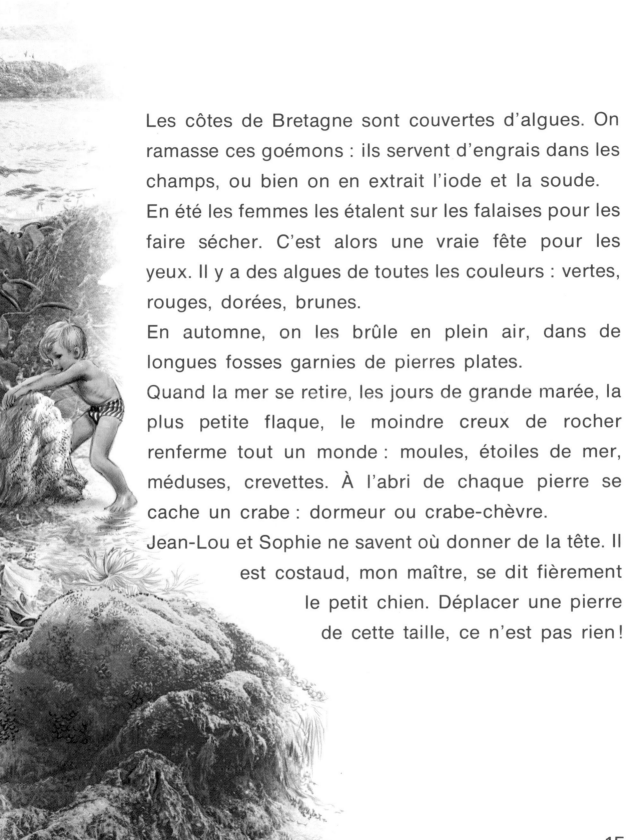

Les côtes de Bretagne sont couvertes d'algues. On ramasse ces goémons : ils servent d'engrais dans les champs, ou bien on en extrait l'iode et la soude.

En été les femmes les étalent sur les falaises pour les faire sécher. C'est alors une vraie fête pour les yeux. Il y a des algues de toutes les couleurs : vertes, rouges, dorées, brunes.

En automne, on les brûle en plein air, dans de longues fosses garnies de pierres plates.

Quand la mer se retire, les jours de grande marée, la plus petite flaque, le moindre creux de rocher renferme tout un monde : moules, étoiles de mer, méduses, crevettes. À l'abri de chaque pierre se cache un crabe : dormeur ou crabe-chèvre.

Jean-Lou et Sophie ne savent où donner de la tête. Il est costaud, mon maître, se dit fièrement le petit chien. Déplacer une pierre de cette taille, ce n'est pas rien !

Jean-Lou et Sophie parcourent un paysage sauvage et désolé. Ils sont encerclés de collines roussâtres, dénudées, parsemées çà et là de touffes de bruyère. Ce sont les monts d'Arrée.

— On se croirait en haute montagne, dit Sophie.

— Nous sommes pourtant bien en Bretagne, répond Jean-Lou. D'ici on sent l'air vif et frais qui vient de la mer. Cette crête en dents de scie, c'est le Roc'h Trévezel.

Voici, par-dessus les toits, les deux flèches finement dentelées et ajourées de la cathédrale de Quimper.

— La Bretagne est le pays de la dentelle, dit Sophie. Si nous achetions un napperon comme souvenir de ce beau voyage?

17

Dans le port du Croisic, de bon matin.

Jean-Lou et Sophie aident les marins à décharger la pêche. Protégés par un grand tablier de toile, ils s'affairent tous deux sur les planchers gluants. Il faut les voir se passer les caisses et trier les poissons aux écailles d'argent.

Autour des bateaux, les mouettes criaillent : elles attendent avec impatience le menu fretin qui sera rejeté à l'eau.

Le travail terminé, les pêcheurs confient aux deux enfants un oiseau qu'ils ont trouvé en mer.

— Regardez, dit l'un d'eux, c'est un jeune fou de Bassan. Il a le corps couvert de mazout, il va mourir.

Jean-Lou et Sophie ont nettoyé l'oiseau plume après plume.

— Hourra! crie Jean-Lou, le voici tout propre et bien vivant.

— Oui, l'oiseau est propre, mais as-tu remarqué la vilaine tache noire sur ta chemise?

Jean-Lou regarde Sophie :

— Et ta robe! On n'en distingue plus la couleur!

Heureusement, il y a partout des lavoirs en Bretagne.

18

— Et maintenant, qu'allons-nous faire de notre oiseau? demande Sophie, embarrassée.

— Certainement pas le garder, affirme Jean-Lou. La captivité lui ferait autant de mal que le mazout.

Les enfants ont emmené le jeune oiseau à Belle-Île.

On raconte que cette île serait le diadème de la reine des fées,
transformé d'un coup de baguette magique. On dit aussi que les
oiseaux y seront toujours heureux.

— D'ailleurs, dit Jean-Lou, la grotte de l'Apothicaire est le refuge
des cormorans.

Le jeune fou de Bassan s'est envolé. Il se retourne un instant et
semble dire : merci.